pim en saar

Daniëlle Schothorst

 Zwijsen

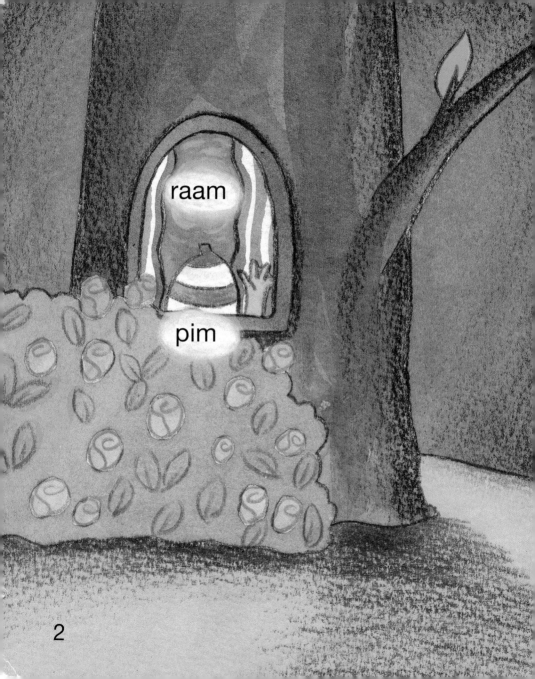

raam

pim

2

raam, rem, rim!
en ... pim!

pim is er!

3

4

rim, rem, raam!
en ... maan!

maan is er.
en pim is er!

is pim sip?

pim

pen

aap

8

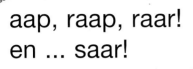

aap, raap, raar!
en ... saar!

saar en roos.
is pim sip?

maar?
maar?
saar!

11

sterretjes bij kern 2 van Veilig leren lezen

na 4 weken leesonderwijs

1. pim en saar
Daniëlle Schothorst

2. pim en pep
Juliette de Wit

3. pip is sip
Els van Egeraat